LA VIE DANS
LES FORÊTS TROPICALES

Texte de **Lucy Baker**

Traduit de l'anglais par Ghislaine Raby

Scholastic Canada Ltd.
123 Newkirk Road, Richmond Hill (Ontario) Canada

Copyright © Two-Can Publishing Ltd, 1990

Tous droits réservés.

ISBN 0-590-73538-1

Titre original: Life in the Rainforests

Édition originale publiée par Two-Can Publishing Ltd, Londres, 1990.
Cette édition publiée par Scholastic Canada Ltd.,
123 Newkirk Road, Richmond Hill, Ontario, Canada L4C 3G5

Composition de Peter MacDonald, Twickenham

4 3 2 1   Imprimé en Angleterre   0 1 2 3 4 / 9

Crédits photographiques
p.5 Bruce Coleman; p.7 (en haut) Heather Angel/Biofotos, (en bas) South American Pictures/Tony Morrison; p.8 Bruce Coleman/E. et P. Bauer;
p.9 Ardea/Pat Morris; p.10 (en haut) Ardea/Anthony et Elizabeth Bomford, (en bas) Bruce Coleman/J. Mackinnon; p.11 (en haut) NHPA/L. H. Newman,
(au centre) Survival Anglia/Claude Steelman, (à droite) NHPA/Jany Sauvanet; p.12 (en bas) Ardea, (en haut) Bruce Coleman; p.13 Bruce Coleman; p.14 The
Hutchison Library/J. Von Puttkamer; p.15 (en haut) Survival International/Steve Cox, (en bas) The Hutchison Library/J. Von Puttkamer; p.16 Bruce
Coleman/Michael Fogden; p.17 Survival International/Victor Englebert; p.18 Impact Photos; p.19 The Hutchison Library; p.20-21 NHPA; p.22 Oxford
Scientific Films/R. A. Acharya; p.23 South American Pictures/Bill Leimbach; p.31 Impact/Julio Eckhardt; photo couverture (devant) Michael et Patricia
Fogden; photo couverture (dos) Tony Stone Worldwide

Crédits des illustrations
Francis Mosley, Valerie McBride

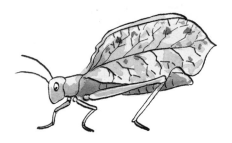

TABLE DES MATIÈRES

OBSERVONS LES FORÊTS TROPICALES

Imaginons une forêt qui n'a pas changé depuis 60 millions d'années et où des arbres géants semblent toucher le ciel de leurs branches dont le feuillage touffu empêche la lumière d'atteindre le sol. Imaginons un endroit où la température varie à peine de jour en jour, de saison en saison, d'année en année. Imaginons un endroit où les nuages de pluie sont immobiles dans l'air et où les pluies torrentielles sont fréquentes. Cet endroit, c'est la forêt tropicale.

Au moins deux-tiers de tous les animaux et plantes terrestres vivent dans la forêt tropicale. La plus grande partie des animaux qui représentent le tiers qui reste avait sans doute ses origines dans les forêts tropicales, il y a des milliers d'années.

Les forêts tropicales ne servent pas seulement d'abri à un grand nombre d'animaux et de plantes. Des humains y vivent depuis plusieurs générations.

ZONES DE LA FORÊT TROPICALE

Dans les forêts tropicales, la vie se manifeste surtout à environ 30 m au-dessus du sol, dans la **voûte** de feuillage. C'est à cet endroit que les branches des arbres géants s'entremêlent pour former une plate-forme à la végétation luxuriante.

Sous la voûte, dans l'obscurité, peu de plantes peuvent pousser. Lorsque la lumière réussit à percer la voûte, des arbres plus petits et des plantes se disputent l'espace.

Il ne peut pousser presque rien sur le sol de la forêt, mais les feuilles et autres débris tombent de la voûte. Les plantes, les insectes et les animaux transforment ces débris en nourriture.

voûte

sous-bois

sol de la forêt

LE SAVIEZ-VOUS?

● Les forêts tropicales sont les régions les plus humides du monde. Dans certains endroits, il peut tomber jusqu'à 10 m de pluie au cours d'une année.

● Presque la moitié des arbres des forêts tropicales du monde ont été coupés au cours des cinquante dernières années et l'abattage se poursuit. En 1989, les forêts tropicales disparaissaient à un rythme de 2400 m^2 par minute.

LA RÉPARTITION DANS LE MONDE

Plus de la moitié des forêts tropicales du monde sont en Amérique du Sud et en Amérique centrale. Le reste est réparti dans certaines régions d'Afrique, d'Asie et d'Australie. Presque toutes se situent entre deux lignes imaginaires au nord et au sud de l'**équateur**, le **tropique du Cancer** et le **tropique du Capricorne**.

Sous les tropiques, les températures sont chaudes et humides depuis des millions d'années. Ces conditions ont permis aux forêts tropicales de se développer en des **environnements** parmi les plus complexes et les plus variés du globe. Les scientifiques ont identifié plus de 40 espèces différentes de forêts tropicales, chacune possédant sa propre variété de faune et de flore.

Autrefois, les forêts tropicales formaient une large ceinture verte autour de la planète, mais de nos jours, les photographies spatiales racontent une histoire différente. Partout à travers le monde, de vastes étendues de forêts tropicales sont en train de disparaître et plusieurs espèces d'animaux sauvages sont aussi en voie d'extinction.

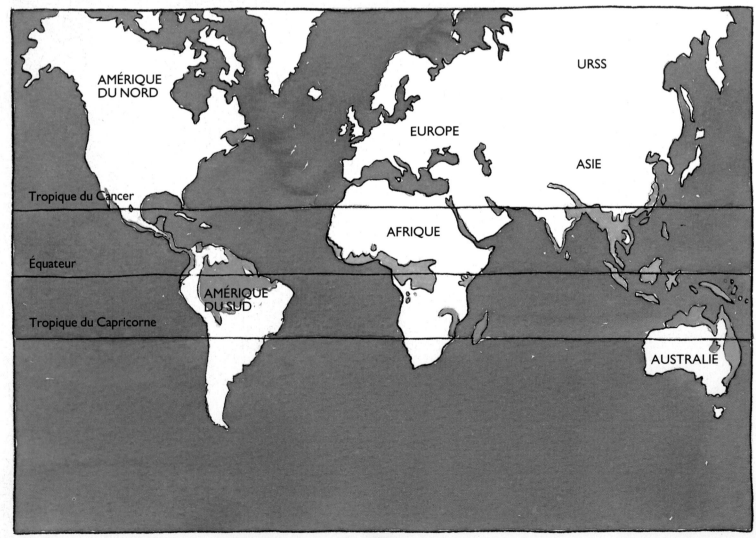

▶ Sous les tropiques, la seule variation des conditions climatiques consiste dans l'accroissement de l'humidité durant la saison des pluies. Les arbres de la forêt tropicale ne fleurissent donc pas au printemps pour ensuite perdre leurs feuilles en automne. Chaque espèce d'arbre suit son propre cycle de croissance. Les cycles différents assurent aux créatures de la forêt tropicale un approvisionnement constant en fleurs, fruits, noix et graines.

▼ La plus grande forêt tropicale du monde s'étend à travers le bassin d'Amazonie, en Amérique du Sud. Elle recouvre une région presque aussi vaste que l'Australie. La rivière Amazone serpente à travers la forêt tropicale. C'est le plus grand bassin de cours d'eau et de lacs du monde. Pendant la saison des pluies, certaines parties de la forêt sont inondées par l'Amazone et les poissons nagent parmi les troncs d'arbres géants.

LA BANQUE DE PLANTES

Une seule espèce d'arbre, le chêne ou l'érable par exemple, domine la plupart des régions boisées. Dans la forêt tropicale, il peut y avoir plus de 80 espèces sur une superficie de 500 m^2 de terrain.

Les forêts tropicales se composent également d'une grande variété d'autres plantes. Partout où la lumière atteint le sol de la forêt, une couche exotique de végétation et de fougères prospèrent. Des tiges noueuses pendent comme des cordes inertes autour des troncs d'arbres géants. Ces plantes grimpantes et ces vignes sauvages produisent une masse de feuilles et de fleurs dans la voûte de feuillage.

La voûte elle-même ressemble à un immense jardin aérien. De la mousse, du lichen et des centaines de plantes à fleurs recouvrent les branches de la voûte. Ces plantes, qui portent le nom d'**épiphytes**, n'abîment pas l'arbre qui les abrite. Leurs racines se balancent dans l'air ou poussent dans une fine couche d'humus qui se forme dans les creux et les fentes des branches.

▲ La rafflésie pousse sur le sol des forêts de certaines régions de l'Asie. Elle donne des fleurs pouvant atteindre 1 m de large – ce sont les fleurs les plus grosses du monde. Les pétales sont épais, couverts de verrues et les centres hérissés de pointes sentent la viande pourrie.

▶ L'eau et les débris s'accumulent sur certains épiphytes et servent d'étangs aux minuscules grenouilles de la forêt tropicale.

LES PLANTES

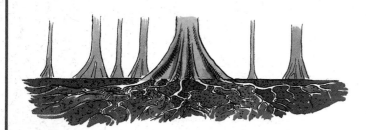

Les arbres des forêts tropicales ont un système de racines peu profondes, de telle sorte qu'ils produisent souvent des **racines en contrefort** qui les aident à se tenir droit.

La plupart des feuilles sont épaisses et cirées et possèdent une pointe à **bec verseur** pour que l'eau puisse s'écouler. Elles sont souvent si grosses qu'elles peuvent servir de parapluies.

LE RÈGNE ANIMAL

La végétation luxuriante des forêts tropicales est l'habitat de millions d'insectes différents et d'autres bestioles rampantes. Certains, comme les mouches et les scarabées, font un travail d'éboueurs, en débarrassant le sol de tout déchet et débris. D'autres, comme les guêpes et les abeilles, transportent le pollen des fleurs. Les fourmis et les araignées sont abondantes. À elles seules, elles dévorent un grand nombre d'insectes et les empêchent ainsi de trop se multiplier.

Les plantes et les insectes de la forêt tropicale servent de nourriture à des milliers d'animaux différents. Voici quelques-uns des animaux qui participent au festin offert par la forêt.

▲ On trouve des lézards partout dans la forêt tropicale; ils mangent des insectes, des plantes et, à l'occasion, des petits animaux. La plupart des lézards attrapent les insectes dans leur gueule, mais quelques-uns les saisissent au vol à l'aide de leur langue très longue.

◄ Les orangs-outans roux sont géants et ont un énorme appétit. Ils adorent manger des fruits, mais ils mâchent aussi des feuilles, des pousses et l'écorce des arbres et s'emparent parfois des oeufs dans les nids d'oiseaux. Pour trouver leurs fruits préférés, les orangs-outans, très malins, surveillent les oiseaux qui partagent leurs goûts en matière de nourriture et les suivent à travers la forêt. Ils passent la plus grande partie de leur vie au sommet des arbres, se balançant d'une branche à l'autre. Leurs longs bras puissants et leurs mains crochues en font d'habiles grimpeurs. Les orangs-outans habitent les forêts tropicales de Bornéo et de Sumatra.

▲ Les chauves-souris ne font pas partie des oiseaux. Ce sont les seuls mammifères volants au monde. Plusieurs chauves-souris chassent les insectes mais certaines, comme le renard volant illustré ici, mangent les fruits. Les chauves-souris frugivores contribuent à répandre les graines à travers la forêt.

▲ Le bec long et mince du colibri est idéal pour extraire le nectar sucré des fleurs, mais ces oiseaux mangent aussi des insectes. Les colibris sont des experts du vol et peuvent même voler à reculons.

▶ Les paresseux ont un régime strict et ne mangent que des feuilles. Ils passent la plupart de leur temps au sommet des arbres. Il existe des paresseux à deux orteils et des paresseux à trois orteils, comme celui de la photo ci-contre. Des algues, des scarabées, des papillons de nuit et des mites se cachent dans les poils du paresseux.

LES MENACES DE LA FORÊT

La forêt tropicale est un endroit dangereux. Les perroquets aux couleurs éclatantes, les singes qui jacassent et les paresseux nonchalants peuvent paraître insouciants, mais ils ont aussi leurs ennemis. Quand un aigle géant s'élance ou qu'un chat agile rôde, la voûte entière est terrorisée.

Les gros chats et les aigles sont les plus gros chasseurs de la forêt, mais il y en a des centaines d'autres. Sous la voûte, des serpents longs et minces attrapent des lézards, des grenouilles et des petits oiseaux. Sur le sol, des serpents constricteurs, lourds et énormes, comme l'anaconda, guettent des proies plus grosses, telles que le sanglier sauvage ou le cerf qui furètent parmi les feuilles mortes.

Les petites bestioles peuvent être une source de menace encore plus grande. Partout dans la forêt, on trouve des scorpions, des araignées, des abeilles et des guêpes. Les piqûres ou les morsures de plusieurs d'entre elles sont venimeuses et peuvent provoquer des éruptions, des maladies ou même la mort.

▲ Chaque forêt tropicale possède sa propre espèce d'aigle géant. En Afrique, c'est l'aigle royal; en Amérique du Sud, l'aigle harpie et en Asie, l'aigle mangeur de singes illustré plus haut. Les aigles géants attrapent les singes, les paresseux et d'autres proies qui vivent dans la voûte.

◄ Certains chats de la forêt, comme les chats-tigres et les guépards, sont d'excellents grimpeurs. Ils peuvent poursuivre les singes et les écureuils à travers le **sous-bois**. D'autres, comme ce jaguar, préfèrent attendre tranquillement sur les branches basses et bondir sur les animaux qui passent.

◄ Le crotale chasse les petits animaux qui se nourrissent des débris trouvés sur le sol de la forêt. C'est un serpent venimeux, ce qui signifie qu'il injecte un poison quand il mord. C'est le plus redouté de tous les serpents d'Amérique du Sud. Sa morsure peut tuer un humain en quelques heures. Heureusement, ce serpent est farouche et on le voit rarement!

LES MOYENS DE DÉFENSE

Ce sont les plus petites créatures de la forêt tropicale qui ont le plus grand nombre d'ennemis naturels, aussi n'est-il pas surprenant qu'elles aient développé de nombreuses façons de se défendre.

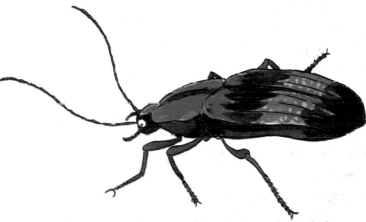

Certaines bêtes produisent un poison qui laisse un goût désagréable lorsqu'elles sont dévorées. Des traces sombres sur le corps préviennent leurs ennemis qui apprennent à reconnaître cet avertissement.

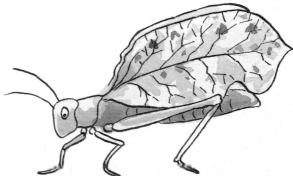

Certains papillons ont des taches semblables à des yeux, dissimulées sur leurs ailes, qui peuvent lancer des éclairs à leurs ennemis éventuels. Les faux yeux éblouissent les attaquants et donnent aux papillons la possibilité de s'échapper.

Pour réduire le risque d'être dévorés, de nombreux insectes ont un **camouflage** très habile, comme c'est le cas pour ce criquet de brousse.

LES PEUPLES

L'humain se sent mal à l'aise dans la forêt tropicale. Il trouve les conditions de chaleur et d'humidité suffocantes. À chaque pas, le danger le menace et, malgré la nourriture qui l'entoure, il ne sait pas reconnaître les baies vénéneuses des fruits nourrissants et rafraîchissants.

Depuis des milliers d'années, certains groupes d'humains habitent les forêts tropicales. Pour eux, la forêt représente leur habitat et le seul monde qu'ils connaissent. Les **tribus** sont organisées en communautés et possèdent leurs cultures et leurs coutumes propres. Elles comprennent parfaitement le fonctionnement de la forêt tropicale. Elles savent quelles plantes et quels animaux sont utiles et comment profiter des bienfaits de la forêt sans causer de dommages.

Des tribus vivent dans les forêts tropicales de certaines régions d'Afrique, d'Asie et d'Amérique du Sud, mais leur mode de vie est menacé. Malgré que les lois internationales reconnaissent leurs droits, elles sont souvent maltraitées et leurs terres sont volées ou envahies. Si toutes les anciennes tribus venaient à disparaître, leurs connaissances profondes de la forêt tropicale seraient sans doute perdues à jamais.

▼ Une vaste section de la forêt tropicale ne peut faire vivre que quelques centaines de personnes. C'est pourquoi les tribus sont disséminées à travers les régions boisées. Certaines tribus construisent des maisons communautaires, où plusieurs familles vivent ensemble.

◀ Dans les forêts tropicales, les enfants ne sont pas obligés d'aller à l'école, mais ils ont cependant beaucoup à apprendre. Les aînés leur enseignent tout ce qu'ils doivent savoir sur la vie dans la forêt.

▼ De nombreux habitants de la forêt peignent leur corps avec des teintures aux couleurs éclatantes et utilisent des plumes, des fleurs et autres matériaux naturels pour fabriquer des bijoux très simples.

LES PEUPLES

Les Pygmées de la forêt tropicale africaine sont très petits. Les plus grands ne mesurent pas plus que 1,4 m de haut.

La vie n'est pas facile dans la forêt tropicale. Dans notre monde moderne, une personne peut vivre plus de 70 ans. Dans la forêt tropicale, peu de gens survivent au-delà de 40 ans. Les maladies, comme la grippe et la rougeole, amenées par les colons européens, sont encore une cause importante de mortalité parmi les tribus indigènes. Plus de 80 tribus différentes ont disparu du Brésil depuis 1900.

LES RICHESSES

Les tribus des forêts tropicales peuvent subvenir entièrement à leurs besoins. Les différentes espèces d'animaux et de plantes leur fournissent les matières premières pour la nourriture, le logement, les vêtements, les médicaments, les outils et les produits de beauté.

Nous aussi nous utilisons les produits de la forêt tropicale. Un grand nombre des fruits, des noix et des céréales qui remplissent les étagères de nos supermarchés proviennent de la forêt tropicale. Le poulet domestique, dont l'élevage est maintenant répandu dans le monde entier, est originaire de la forêt tropicale. Les **bois durs** les plus précieux, comme le teck, l'acajou et l'ébène,

proviennent des arbres de la forêt tropicale.

Parmi les autres produits de la forêt, il y a le thé, le café, le cacao, le caoutchouc et un grand nombre de médicaments.

Nous ne connaissons encore que très peu de choses sur les forêts tropicales. Les scientifiques croient qu'il existe encore des milliers de denrées alimentaires, de médicaments et d'autres matières premières à découvrir.

▼ Ces petites grenouilles produisent un poison violent afin d'empêcher les autres animaux de les manger. Certaines tribus extraient ce poison en faisant rôtir doucement les grenouilles et en recueillant leur sueur. Elles l'utilisent ensuite pour tremper les flèches de leurs sarbacanes quand elles chassent le gros gibier.

LES TRÉSORS DE LA FORÊT TROPICALE

En Amazonie, il existe un arbre qui produit une sève semblable à du carburant diesel. On peut la verser directement dans le réservoir d'un camion et s'en servir comme carburant.

Un quart de tous les médicaments disponibles dans nos pharmacies prennent leur origine dans les plantes et les animaux de la forêt tropicale.

Les insectes qui vivent dans les forêts tropicales pourraient remplacer avec bonheur les insecticides coûteux. En Floride, trois espèces de guêpes ont été introduites avec succès pour contrôler les insectes nuisibles qui dévastaient les récoltes d'agrumes.

Il y a au moins 1500 nouveaux fruits et légumes qui poussent dans les forêts tropicales du monde.

▲ Les femmes et les enfants de la tribu Yanomani cherchent de la nourriture sur le sol de la forêt, tandis que les hommes chassent les singes, les oiseaux et autres animaux.

LA DESTRUCTION DES FORÊTS TROPICALES

Les forêts tropicales sont des trésors naturels qui sont détruits par l'humain pour se procurer le bois et cultiver la terre. La plupart des forêts tropicales se trouvent dans des pays pauvres en voie de développement. Ces pays ne peuvent donc pas se permettre de conserver leurs magnifiques forêts.

De vastes sections sont vendues aux entreprises de bois de construction, qui abattent les arbres à l'aide de bouteurs et de tronçonneuses. Les animaux sauvages s'enfuient et, malgré que seuls les arbres plus gros et plus vieux sont abattus, plus de la moitié de la forêt pourrait être endommagée quand tout le travail sera achevé.

Des forêts tropicales sont entièrement défrichées pour extraire des riches réserves minérales, comme le fer, le cuivre ou l'uranium, ou pour faire d'énormes plantations de café, de cacao ou de bananes.

Des milliers de personnes pauvres et sans abri sont incitées à quitter les villes surpeuplées et à cultiver une terre dans la forêt. On les appelle les agriculteurs **sur abattis et sur brûlis**, parce qu'ils construisent une ferme simple dans la forêt et brûlent ensuite la végétation environnante, afin d'enrichir le sol.

▼ Environ 500 millions de personnes se sont tournées vers les forêts tropicales du monde et plusieurs autres suivront certainement. Elles abattent les arbres afin de cultiver la terre pour se procurer nourriture et argent.

LE SAVIEZ-VOUS?

● Les pays industrialisés achètent 18 fois plus de bois durs aujourd'hui qu'ils ne le faisaient il y a cinquante ans.

● Plus de la moitié des forêts tropicales d'Amérique centrale sont maintenant disparues. Elles ont été défrichées pour construire d'immenses fermes pour l'élevage du bétail. La majorité de la viande produite est vendue aux pays de l'ouest pour répondre aux demandes croissantes du marché des hamburgers.

▶ Remarquez la différence entre la richesse de la forêt tropicale à l'arrière et la pauvreté du sol dénudé à l'avant-plan. Au Brésil, de vastes régions ont été dévastées et des animaux et des plantes sont à jamais disparus.

LE PARADIS PERDU

En moins de dix ans, la terre de la forêt tropicale peut devenir aussi aride et sans vie qu'un désert. La raison en est que la plupart des forêts tropicales se trouvent sur des sols argileux et pauvres. Seule une mince couche de riche **terre arable** recouvre le sol de la forêt et est retenue par les troncs d'arbres gigantesques.

Les agriculteurs pratiquent la culture sur abattis et sur brûlis pour défricher leurs terres et faire pousser leurs cultures. Cependant, après quelques années seulement, les pluies tropicales entraînent la terre arable et le sol devient trop difficile à cultiver.

DU MEILLEUR AU PIRE

Les arbres et les plantes aident à purifier l'air qui nous entoure. Ils utilisent la lumière du soleil, l'eau et l'air pour produire les aliments. Dans le procédé de fabrication des aliments, ils se servent de la portion d'air que nous exhalons (gaz carbonique) et produisent la portion d'air que nous inspirons (oxygène).

Lorsque les forêts sont brûlées pour défricher les terres, les arbres ne peuvent plus nous fournir d'oxygène. À la place, les feux de forêts produisent de grandes quantités de carbone qui pollue l'atmosphère.

Les terres en friche, abandonnées par les fermiers, cuisent au soleil et sont trempées par les pluies. Les pluies, qui auraient autrement arrosé les arbres et les plantes, tombent directement sur le sol et s'écoulent sur les pentes en emportant des tonnes de terre. Les vallées sont inondées et l'eau des rivières devient boueuse.

Les spécialistes des tropiques estiment qu'au rythme actuel de destruction, il ne restera plus de forêts tropicales en l'an 2050. Si ce paradis disparaît, des milliers d'espèces de plantes et d'animaux disparaîtront avec lui.

LA SAUVEGARDE DES FORÊTS TROPICALES

De plus en plus de gens prennent conscience de la nécessité de sauver les forêts tropicales. Des mesures ont déjà été prises pour ralentir le rythme de cette destruction. De nombreuses associations pour la **défense de l'environnement** lancent d'immenses campagnes pour sauvegarder les forêts tropicales.

Si les entreprises de bois de construction changeaient leur manière d'exploiter les forêts et les reboisaient, elles pourraient réduire les dégâts. Il faudrait enseigner aux agriculteurs de meilleures méthodes d'exploitation des terres. En plantant des arbres qui côtoieraient les cultures, ils pourraient préserver la terre arable fragile et utiliser la même parcelle de terrain pendant de nombreuses années.

Les riches pays industrialisés devraient aussi apporter leur aide. Les pays qui ont des forêts tropicales sur leur territoire épuisent ces trésors pour rembourser les dettes énormes qu'ils ont contractées envers les pays occidentaux. Si ces dettes étaient réduites, il y aurait davantage d'argent à consacrer au développement des terres déboisées et le reste des forêts serait sauvé.

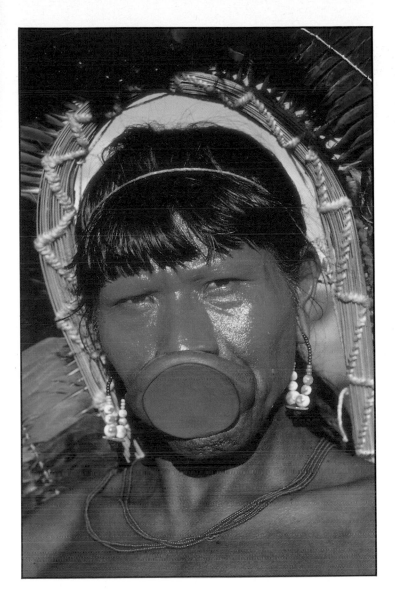

▲ Raoni est le chef des Indiens Kayapo du Brésil. Il a parcouru des milliers de kilomètres pour parler des problèmes qui confrontent son peuple. Leurs terres ont été envahies par les compagnies forestières et les agriculteurs qui pratiquent la culture sur abattis et sur brûlis. Les forêts qui leur procurent nourriture et abri sont en voie de disparition.

◄ Les scientifiques pensent que plus de 50 espèces sauvages d'insectes, de plantes et d'animaux disparaissent tous les jours à cause de la destruction de la forêt. Un grand nombre des animaux favoris du monde, comme les tigres et les orangs-outans, sont en danger car la forêt tropicale est en train d'être détruite. En sauvegardant les vastes étendues de forêts tropicales, ces animaux pourraient être sauvés de l'extinction.

PROTÉGEONS LA FORÊT TROPICALE

Parlez-en!
Discutez avec vos amis et votre famille de la destruction des forêts tropicales. Écrivez aux représentants du gouvernement pour leur demander de venir en aide aux pays qui ont des forêts tropicales sur leur territoire.

Donnez votre soutien aux campagnes pour la sauvegarde des forêts tropicales
Un grand nombre d'associations bénévoles et de groupes de pression essaient de ralentir le rythme de destruction des forêts tropicales. Ils ont besoin d'argent et de soutien pour continuer leur action. Soyez attentifs aux divers médias qui vous informent sur la façon de venir en aide à ces organisations.

L S VOL U SD CAU IS

Depuis des milliers d'années, les humains racontent des histoires sur le monde qui les entoure. Souvent, ces histoires tentent d'expliquer un mystère, par exemple la création du monde ou la provenance de la lumière. Cette légende est racontée par les habitants du Congo, en Afrique.

Il y a très longtemps, dans un village au coeur du Congo, vivaient un homme et une femme qui étaient beaucoup plus petits que les autres habitants et qui avaient la peau beaucoup plus foncée.

Tous les habitants du village s'entendaient pour dire que ces deux personnes avaient des habitudes des plus irritantes. Elles ne travaillaient presque jamais, préférant rester assises à ne rien faire et à bavarder. Lorsqu'elles se mettaient à travailler, elles se lassaient très vite et s'empressaient de se distraire en faisant autre chose.

Elles arrivaient toujours à l'improviste chez leurs voisins, à l'heure du repas, si bien que ces derniers se sentaient obligés de les inviter à dîner, selon la coutume.

Mais le pire, c'était la manière dont elles ramassaient les biens d'autrui. À deux, elles visitaient les huttes et prenaient tout ce qu'elles pouvaient y trouver. Elles fourraient leur nez dans les paniers, prenaient de la nourriture ou tout simplement changeaient de place tout ce qui s'y trouvait, de telle sorte que lorsque le propriétaire de la hutte rentrait chez lui, il trouvait un désordre terrible.

Les habitants du village supportaient le couple, car il ne faisait pas vraiment de mal. À chaque fois qu'un villageois perdait patience, l'homme et la femme paraissaient tellement affligés à la pensée d'avoir mal agi et ils promettaient avec une telle conviction de se corriger, qu'il était impossible de leur en vouloir très longtemps.

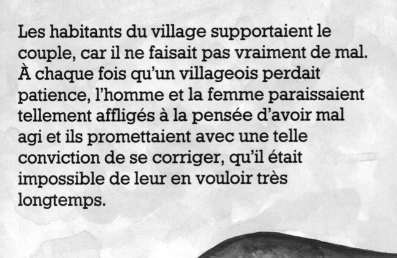

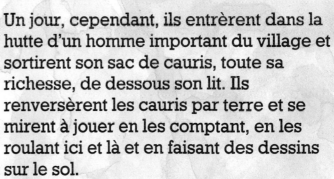

Un jour, cependant, ils entrèrent dans la hutte d'un homme important du village et sortirent son sac de cauris, toute sa richesse, de dessous son lit. Ils renversèrent les cauris par terre et se mirent à jouer en les comptant, en les roulant ici et là et en faisant des dessins sur le sol.

À un moment, le petit homme brun décida d'aller chercher un peu de nourriture et la petite femme brune le suivit, laissant les cauris éparpillés par terre.

Quand le propriétaire de la hutte rentra et vit ses cauris éparpillés, sa première pensée fut qu'il avait été volé.

Il appela en criant tous les habitants du village pour qu'ils viennent voir ce qui était arrivé. La femme qui habitait la hutte voisine dit qu'elle avait vu le petit homme brun et la petite femme brune sortir de la hutte.

À ce moment, quelqu'un aperçut le petit homme brun et la petite femme brune qui s'approchaient avec des bananes. Ils avaient l'air très surpris qu'on les accuse d'avoir volé les cauris.

L'homme qui pensait avoir été volé n'attendit pas d'explications. «Attendez un peu que je vous attrape!...» hurla-t-il.

Il se précipita vers le couple en agitant les bras en signe de menace. Le petit homme brun et la petite femme brune prirent leurs jambes à leur cou et se dirigèrent dans la forêt pour s'y cacher, et tous les villageois partirent à leurs trousses.

En arrivant dans la forêt, le petit homme brun et la petite femme brune grimpèrent dans un arbre pour se cacher des villageois. Pendant quelques minutes, les villageois qui les poursuivaient restèrent perplexes. Puis, l'un d'eux aperçut les cheveux de la petite femme brune qui pendaient d'une branche.

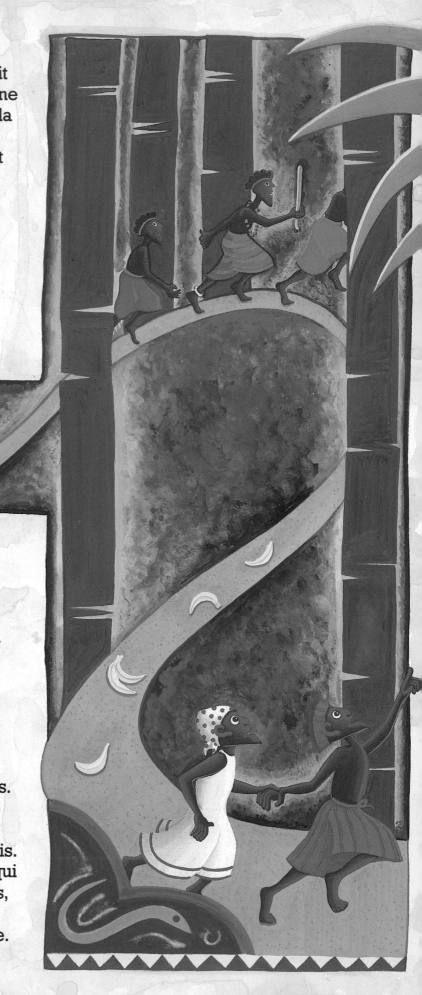

«Asseyons-nous ici et attendons qu'ils s'en aillent avant de descendre», dit le petit homme brun.

Mais les villageois ne partirent pas. L'homme qui pensait avoir été volé se tint debout au pied de l'arbre et cria au petit homme brun et à la petite femme brune: «Ne pensez pas que vous allez vous en tirer si facilement!»

Ils montèrent la garde au pied de l'arbre, attendant que le petit homme brun et la petite femme brune en descendent.

Le temps s'écoula, et les villageois changèrent la garde au pied de l'arbre deux fois par jour, si bien que chacun d'entre eux avait surveillé l'arbre au moins une fois. Le petit homme brun et la petite femme brune étaient assis dans l'arbre, bavardant et cueillant des fruits sur les branches voisines. Leurs doigts et leurs orteils se mirent à allonger du fait qu'ils les étiraient sans cesse pour attraper les branches et saisir les fruits.

Un jour, alors que tous les villageois avaient monté la garde au pied de l'arbre deux fois, le petit homme brun et la petite femme brune s'aperçurent que les poils de leur corps étaient devenus longs et épais et qu'on pouvait à peine les voir dans les branches.

Un jour, alors que tous les villageois avaient monté la garde au pied de l'arbre trois fois, le petit homme brun et la petite femme brune sentirent une sensation étrange au bas de la colonne vertébrale. Ils avaient maintenant une queue! Ils sautaient de branche en branche, en bavardant très vite et en se balançant par la queue.

Et c'est pourquoi, bien que les singes ennuient souvent les habitants du Congo en venant dans leurs maisons, en mettant tout en désordre et en dérobant la nourriture, ils ne leur font jamais de mal.

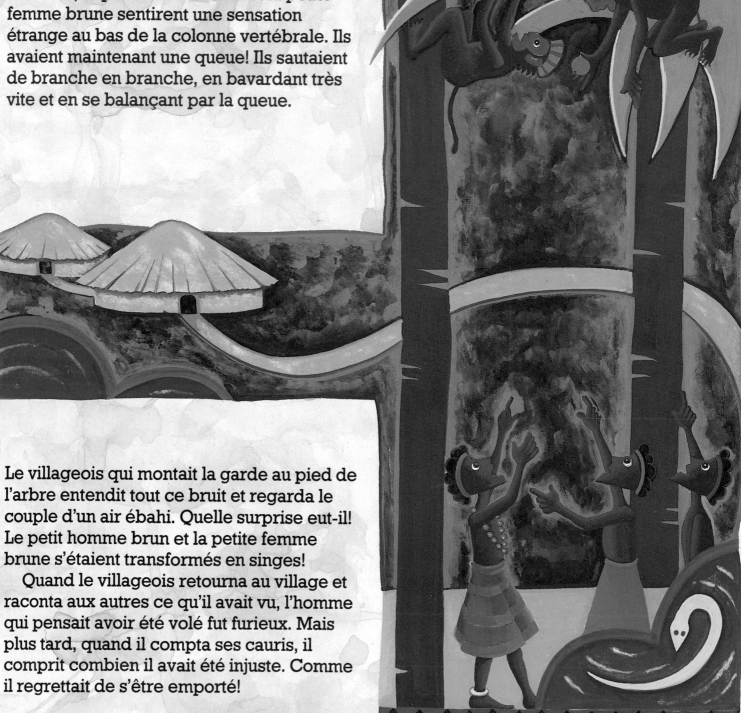

Le villageois qui montait la garde au pied de l'arbre entendit tout ce bruit et regarda le couple d'un air ébahi. Quelle surprise eut-il! Le petit homme brun et la petite femme brune s'étaient transformés en singes!

Quand le villageois retourna au village et raconta aux autres ce qu'il avait vu, l'homme qui pensait avoir été volé fut furieux. Mais plus tard, quand il compta ses cauris, il comprit combien il avait été injuste. Comme il regrettait de s'être emporté!

VRAI OU FAUX?

Lesquelles de ces affirmations sont vraies et lesquelles sont fausses? Si vous avez lu ce livre attentivement, vous connaîtrez les réponses.

1. Il y a des forêts tropicales partout en Europe.

2. Les forêts tropicales sont situées entre les tropiques du Capricorne et du Cancer.

3. Il y a plus de 40 espèces de forêts tropicales.

4. Les orangs-outans habitent les forêts d'Afrique.

5. Plus de 80 espèces d'arbres poussent sur quelques mètres carrés de forêt tropicale.

6. La plus grande forêt tropicale se trouve en Australie.

7. Des algues et des insectes se cachent dans la fourrure à longs poils du paresseux.

8. Les aigles géants se nourrissent d'animaux trouvés sur le sol de la forêt.

9. Les poulets sont originaires de la forêt tropicale.

10. Pour recueillir le poison des grenouilles, les membres des tribus les pressent dans leurs mains.

11. La sève d'un arbre du bassin de l'Amazonie peut servir de carburant pour les camions.

12. La culture sur abattis et sur brûlis permet au sol de devenir plus riche.

13. Les forêts tropicales risquent d'être détruites vers l'an 2050.

RÉPONSES: 1. Faux 2. Vrai 3. Vrai 4. Faux 5. Vrai 6. Faux 7. Vrai 8. Vrai 9. Vrai 10. Faux 11. Vrai 12. Faux 13. Vrai

LEXIQUE

● **Bec verseur:** nom donné à l'extrémité allongée de la plupart des feuilles des forêts tropicales, qui s'est formée pour égoutter l'eau de la surface cirée de la feuille.

● **Bois dur:** l'ébène, le teck et l'acajou sont des arbres qui poussent dans les forêts tropicales. Leur bois très dur est idéal pour fabriquer des meubles solides et c'est une des causes de la destruction de vastes parties de la forêt.

● **Camouflage:** méthode par laquelle la robe (plumes, peau, écailles ou fourrure) de certaines bêtes est recouverte de motifs ou de couleurs qui les confondent avec leur environnement. Cela leur permet de se dissimuler aux yeux de leurs prédateurs. Un caméléon peut changer de couleur selon les différents tons de l'environnement sur et contre lequel il marche.

● **Culture sur abattis et sur brûlis:** culture pratiquée par les agriculteurs pauvres qui abattent des régions entières de forêt tropicale, afin de pouvoir cultiver le sol. Ces agriculteurs doivent se déplacer après quelques saisons, car le sol s'appauvrit lorsque les arbres ont disparu.

● **Défense de l'environnement:** préservation des espèces naturelles et des environnements particuliers contre l'exploitation abusive par les humains. Elle requiert l'aide des gouvernements et des scientifiques.

● **Environnement:** ensemble particulier des conditions d'une région, qui agit sur le type et le développement des organismes vivants qui l'habitent.

● **Épiphyte:** plante qui croît sur une autre plante sans en tirer sa nourriture. Elle n'est pas parasite.

● **Équateur:** ligne imaginaire qui se trouve à la même distance des pôles Nord et Sud. Les jours et les nuits sont d'égale durée.

● **Extinction:** action par laquelle les derniers membres d'une espèce – animaux et plantes – disparaissent conséquemment aux chasses excessives, aux changements d'habitats ou à défaut de pouvoir rivaliser avec une espèce nouvellement arrivée.

● **Racine à contrefort:** se dit d'une racine qui se développe de manière à supporter un énorme tronc et à aider un grand arbre à se tenir debout.

● **Tropique du Cancer, tropique du Capricorne:** lignes imaginaires situées approximativement à 23° 27′, parallèles au nord et au sud de l'équateur, là où le Soleil change sa course autour de la Terre. La zone comprise entre ces deux lignes s'appelle les tropiques et la plupart des forêts tropicales se trouvent dans cette région.

● **Voûte:** couche supérieure de la forêt tropicale constituée par le feuillage d'environ 6 à 7 m d'épaisseur, entre 40 et 50 m au-dessus du sol.

● **Sous-bois:** nom donné aux arbres plus petits et aux arbustes qui forment la zone intermédiaire de la forêt tropicale, sous la cime des arbres plus grands.

● **Terre arable:** couche de terre qui recouvre le sol pierreux et aride des forêts tropicales. Cette terre riche est retenue par les arbres de la forêt, mais est rapidement entraînée par les pluies lorsque les arbres ont disparu.

● **Tribu:** groupe de personnes qui vivent ensemble pour se protéger contre les dangers et qui partagent le même mode de vie.

TABLE ALPHABÉTIQUE